*M*an kennt die Geschichte von Oberammergau; man kennt vor allem die Geschichte seines Passionsspiels. Das Weltinteresse, das seit langem um Oberammergau kreist, die Fragen, die heute an dieses Dorf gestellt werden, gelten nicht seiner Vergangenheit, sondern seiner Gegenwart, gelten der Rolle, die es einmal übernommen hat und für die viele tausend Plakate das Stichwort geben: Dorf unter dem Kreuz.

Die Tradition ist nicht mehr das Entscheidende; Tradition allein war noch nie ein hinreichender Grund für das Fortleben von irgend etwas. Warum blieb gerade das Oberammergauer Spiel bestehen? Notzeiten und Kriegswirren, staatliche und kirchliche Verbote, Zweifel von Gutmeinenden und Angriffe von Spöttern, der Massenzustrom nun schon vieler Jahrzehnte, Unzulänglichkeiten aller Art: materielle, menschliche, künstlerische — nichts hat dieses Spiel umbringen können, durch nichts ließen die Oberammergauer die Überlieferung und den Kern ihres Spiels antasten. Das Dorf ist nicht etwa frömmer als andere, seine Menschen sind vielleicht für manches begabter und geschickter, aber sie sind nicht besser als andere, auch sie behaftet mit großen und kleinen Schwächen, unserer Zeit auch im Unguten unterworfen, bedroht von allem, was alle Menschen bedroht: von Neid und kleinem Ehrgeiz, von Selbstsucht und lokalen Zwistigkeiten, von alltäglichen Bedürfnissen und durchaus weltlichem Verlangen. Und immer wieder erblühte aus all dem die Blume ihrer Passion, bis heute blieb das Kreuz als Stigma dieses Dorfes — als Stigma: das war vor Zeiten eine Brandmarkung und wurde dann zum Zeichen eines inneren Mitvollzugs des Großen Leidens.

Wer in allem, was ist und was geschieht, eine tiefere Absicht zu erblicken vermag, der kann schon hier eine Dokumentation erkennen, den Teil einer Mission, einer Botschaft des Trostes nämlich: denn wie es in dem portugiesischen Sprichwort heißt, „Gott schreibt gerade auch auf krummen Zeilen". Natürlich gibt es Gründe, die das Überleben gerade des Oberammergauer Spiels wenigstens zu einem Teil erklären können. Da ist das Festhalten am Gelöbnis (und doch kann niemand verbindlich sagen, ob ein solches Gelöbnis nicht nur für die Gelobenden und ihre Lebensdauer Geltung hat, es gab viele solcher Spiele, die auf Gelübde zurückgingen und doch aufgegeben wurden); da ist der künstlerische Zug, der von jeher zu den Eigenheiten der Oberammergauer gehört, der ihnen eine so gute Vorlage für ihr Spiel auswählen, Text und Aufführungsstil ihren gewandelten Empfindungen angleichen und ein Abgleiten in der Darstellung vermeiden half, der ihre plastische Ausdrucksfähigkeit und ihre Zähigkeit mit dem Spiel verband; da ist die bildende, kritisch fördernde Nachbarschaft der Klöster Ettal und Rottenbuch, überhaupt das geistliche und geistige Umland des „Pfaffenwinkels"; da ist ihr Selbstbewußtsein, von weltläufigen Vorfahren überkommen und einer Unzahl von

in jeder Hinsicht fürstlichen Gästen bestärkt, und da ist — seltsamerweise
vielleicht — der Umstand, daß diese Dörfler eben nicht „abseits" und „zurück"
geblieben sind, unberührt von allem, sondern sich entwickelten mit der Zeit
und ihrem Fortschritt, mitgingen mit der Welt, in die sie hinausgingen als
Kaufherren schon vor zweihundert Jahren und die zu ihnen hineinströmte,
so daß sie nicht durch eine plötzliche Konfrontation mit „Aufklärung" oder
irgendeiner Moderne ihren Boden verloren haben. Da und dort wird Goethes
Bemerkung über Oberammergau zitiert, daß so etwas wie dieses Spiel nur
von einer „mittleren Unschuld" der Menschen zustande gebracht werden
könne. Ich kann mir nicht denken, daß damit nur eine „unmittelbare" Unschuld
gemeint war; diese Bemerkung zielt wohl tiefer in die menschliche Realität:
eben auch im Sinne des Mittelmaßes, des Normalen und Natürlichen, einer
Unschuld also, die nicht nur heroisch und nicht nur naiv ist, weder ganz
Leistung des Charakters noch ganz unbewußte Begabung, sondern einfach in
einer menschlichen Mitte, gut und schlecht, aber keines von beiden für sich
allein und beides nicht in Extremen. Man kann Oberammergau nicht gerecht
werden, wenn man nicht diese Voraussetzungen mit zum Gesamtbild und
zum Gesamtwerk des Passionsspiels rechnet.

Was immer uns das Phänomen Oberammergau erhalten hat, hier haben wir,
hier hat die Welt einen Punkt, in dem sich Heimat und Glaube noch decken,
wo die große und fast überall verschüttete Tradition der „Laienpredigt" noch
eine ihrer letzten Kanzeln hat, wo Kunst und Natur in einem ganz ursprüng-
lichen und volkstümlichen Sinn ineinandergehen. Verpflanzte man dieses
Spiel, dann wäre es in seiner künstlerischen Gesamtanlage zerstört; hörte
dieses Dorf auf, „den Passion" zu spielen, dann wäre seine Natur verändert
und, niemand könnte sagen wie, würde dort sogar die Landschaft für uns ihr
Gesicht verändern.

Die Oberammergauer Blume der Passion — aus dunklem Erdreich und, bei
näherer Betrachtung, mit merkwürdigen Wurzeln, fast wie eine dunkle
Parabel: der Krieg, in seinem Gefolge die Pest; Oberammergau im Gegensatz
zu den Nachbarorten zunächst verschont. Man stellte Wachen auf und brachte
den Wanderern, da man niemanden ins Dorf ließ, Essen und Trinken an die
Straße hinaus. Zunächst verschont — aus Zufall? Oder dank der Wachsamkeit?
Oder zum Lohn der Barmherzigkeit, der guten Tat trotz der Gefahr? Aber das
Verhängnis kam doch, mit jenem Mann, den die Chronik nennt: Kaspar
Schisler. Er war zu Hause in Oberammergau und hatte auswärts seinen
Arbeitsplatz. Er kam nicht mit bösem Vorsatz, er wußte vielleicht noch nicht,
daß er den Tod schon mit sich trug. Aber er wußte, daß niemand ins Dorf
hineindurfte, daß es jeder, der von draußen kam, gefährdete. Was trieb ihn
hinein? Das Heimweh, die Liebe zu Frau und Kind. Ein guter Trieb, möchte

man sich wundern, aber eben jetzt, bei der Lage seines Heimatdorfes, nur ein übermächtiges persönliches Gefühl, dem er nicht Herr wurde, und das dann ihm selbst, seiner Familie und seinem Dorf das Verderben brachte. Ein verfluchtes Heimweh, das Wachsamkeit und die Hilfe guter Werke zunichte machte. In kurzer Zeit starben 85 Menschen, und da traten die „Gemeindeleuthe" zusammen und „haben die Passionstragedie alle zehn Jahre zu halten verlobet und von dieser Zeit an ist kein einziger Mensch mehr gestorben...".

Schon im Jahr nach diesem Ereignis, 1634, wurde das Spiel, dessen Text man sich von anderswo her beschaffte, aufgeführt, wohl doch als erstes Passionsspiel in Oberammergau, und von da an hat man es nach dem Gelöbnis gehalten: seit 1680 jedes volle Jahrzehnt (bis auf 1770, als das Verbot nicht zu umgehen war, und 1940, als der Krieg die Aufführung verhinderte); 1934, im dreihundertsten Jahr nach dem ersten Spiel, brachte man es außer der Reihe.

Jahrhundertelang waren die Aufführungen mit großen Mühen und Opfern, auch finanziellen, verbunden: man hat gespielt. Später, auch wenn immer ein Risiko blieb, bis heute, wurde es immer mehr eine Einnahmequelle: das Spiel wurde nicht verfälscht. Es war ganz selbstverständlich und wurde offen gesagt, daß die Gemeinde sich von dem Spiel auch materielle Hilfe in ihren Sorgen und Lasten erhoffte. Gegenüber heutigen Einwänden mutet es fast grotesk an, wenn wir 1810 in dem abschlägigen Bescheid auf die Bitte um Spielgenehmigung den genau umgekehrten Vorwurf lesen: „... daß der von der Gemeinde Oberammergau angegebene Zweck der Verwendung des Überschusses für die Schule die Unschicklichkeit des Mittels hierzu nicht entschuldigen könne...". Man hatte nichts gegen den Gewinn und seine Verwendung für Bedürfnisse der Gemeinde, im Gegenteil! Aber man hatte etwas gegen das Passionsspiel selbst.

Oberammergau hat sein Gelübde gehalten, als jede Aufführung noch wirklich ein Opfer war, und das war es sehr lange Zeit; es gibt keinen vernünftigen Grund, das Gelübde nicht mehr zu halten, wenn die Dorfgemeinschaft einen Nutzen davon hat. Das Spiel ist, so oder so, mit dem Leben und der Existenz des Dorfes, auch mit seinem ganz gewöhnlichen und oft auch allzu menschlichen Alltag, verflochten. Die rhetorische Frage „Religion oder Geschäft" ist in ihren Voraussetzungen und in ihrer Logik falsch gestellt, sie trifft nichts von dem, was wesentlich ist an Oberammergau. Das Spiel hat zu allem anderen, was es auszeichnet, die Missio canonica zuerkannt bekommen, das Recht und das Amt der religiösen Unterweisung. Das ist keine Lizenz für die Ausübung eines religiösen Kultes. Aber wer hätte je in einen Prediger Zweifel gesetzt, nur weil er von seinem Predigtamt lebt? Mancher Vorwurf gegen Oberammergau ist allzu selbstgerecht und heuchlerisch, und man ver-

gißt dabei, daß dieses Dorf immer wieder Männer gehabt hat, bis heute, die
sich Auswüchsen, möglicher Bereicherung und einem gewinnbringenden Ab-
gehen von der Überlieferung widersetzt haben und, was noch wichtiger ist,
daß in kritischen Momenten die Oberammergauer mancherlei Vorteil zum
Trotz immer auf diese Männer gehört haben.

Die „Rolle" Oberammergaus in der Gegenwart, eine Hauptrolle in dem christ-
lichen theatro mundi, stellt aber nach über dreihundert Jahren seiner Spiel-
geschichte eine entscheidende Frage, die an uns alle gerichtet ist:

Es gibt weit entfernte Sterne, die uns immer noch leuchten, wenn sie auch
selbst schon erloschen sind. Ist dieses Oberammergauer Spiel und der Massen-
andrang dazu noch Ausdruck der Kraft eines lebendigen Glaubens, oder nur
noch ein Nachglanz? Ein Strahl, dessen Quelle bereits versiegt ist, der noch
eine Weile in die Welt scheinen wird, dessen Ende sich aber bereits berechnen
läßt? Ich möchte meinen, daß der Stern, von dem dieses Licht kommt, noch
am Himmel steht, so lange auch nur ein einziger Spieler und ein einziger
Zuschauer an die Wahrheit der Geschichte glaubt, die hier vorgestellt wird.

Wir müssen hier nicht untersuchen, warum sich so viele, Hunderttausende,
zu diesem Spiel drängen. Ganz sicher ist es für viele noch eine echte Wall-
fahrt, ein Bekenntnis ihres Glaubens; andere mögen aus folkloristischem oder
theatergeschichtlichem Interesse kommen; andere aus Neugier; andere, weil
sie ihrem Urlaub durch die Teilnahme an dieser Weltsensation einen Höhe-
punkt geben wollen, oder weil sie, auch in einer Art „mittlerer Unschuld",
für eine weite Reise nach Europa gewissermaßen eine moralische Recht-
fertigung in Oberammergau finden; in der Erschütterung des frommen Spiels,
das jeden ergreift, eine Beschwichtigung des kaum wahrgenommenen Ge-
wissens, das gerade in „guten Zeiten" manchmal aus rätselhafter Tiefe zu
pochen beginnt.

Vor 120 Jahren hat der große bayerische Schriftsteller Ludwig Steub das
Oberammergauer Spiel geschildert; ein Satz von ihm, damals bezogen auf
den turbulenten Aufbruch der Menge nach der Aufführung, auf das Fortfahren
der Wagen und Gespanne, hat heute für uns einen neuen und tiefen Sinn
bekommen:

„Es ist, als wenn, wie in uralten Zeiten, wieder ganze Stämme unterwegs
wären, sich eine neue Heimat zu suchen..."

---

Aufnahmen: Atelier Thiemig-Heimann, München · Umschlag: Cordier, München
Gesamtherstellung: Karl Thiemig, Graphische Kunstanstalt und Buchdruckerei KG, München
Verlag und ©: Karl Thiemig KG, München, 1960 · Printed in Germany
Auslieferung Verlag F. Bruckmann KG, München

marked him. But he did know that nobody was allowed to enter the village, that everyone who came from the outside world brought danger. What, then, made him enter the village? Homesickness, love of wife and child. A good motive, one would think, but in the particular situation of his village, only an overwhelming, personal feeling, which he could not control and which brought disaster to himself, his family and his native place. His homesickness was a curse which invalidated all safety precautions and works of mercy. In a short time 85 people died and then the Elders of the village met and vowed to perform the tragedy of the Passion every ten years; from that moment, the Chronicle records that "not one person more died".

In 1634, the very first year after this event, the Play was performed, from a text found elsewhere. It was probably the first Passion Play to be given at Oberammergau, and from then on, the vow has always been observed: every decade since 1680 (except for 1770, when there was probably no way of circumventing the official prohibition, and 1940, when the Second World War made performance impossible); 1934, the 300th anniversary of the first season, was an exception to the ten-year interval.

For centuries the Play was performed at the cost of great trouble and sacrifice, including financial burdens. But it was performed. Later, even if the risk persisted, and still persists, the Play increasingly became a source of income, but it was not distorted. It was taken for granted and quite openly admitted that the village hoped the Play would also help to lighten their load of material anxieties. There is something almost grotesque about the wording of the refusal given in 1810 to Oberammergau's request to be allowed to present their Play: "The aim of the Community of Oberammergau to use the surplus gains for its school cannot excuse the impropriety of their means", surely the very opposite of the reproaches voiced today. There were, it seems, no objections to making profits and to using these for the needs of the Community, on the contrary! The objection was to the Play itself.

Oberammergau observed its vow in times when every performance involved real sacrifices, and such times lasted long; there is no sensible reason for discontinuing to observe the vow if the village derives benefits from such observance. The Play in any case is part and parcel of the village's existence, closely bound up with its all too human everyday life. The rhetorical question, "Religion or business?" is based on false premises, for it misses the essential point of Oberammergau. The Play, in addition to its other distinctions, has been acknowledged as a "missio canonica", i. e. it has the right and the function to dispense religious instruction. This is not a licence to practise religious rites. But who has ever had doubts about a preacher only because he earns his living by his preaching? Many of the reproaches levelled at Oberammergau are smug and hypocritical; people forget that there have always been men in this village, down to the present time, who have protested against excesses, chances of making money and a profitable deviation from the tradition of the Play, and, more important, that the Oberammergauers have always heeded such protests, though it meant waiving many advantages. After the Play's three-century old history, the role of Oberammergau in the world today, a leading role in the Christian "theatro mundi", is a challenge to all of us: There are remote stars, which still shine for us even though they have burnt themselves out. Does this Play and the throng of visitors to Oberammergau still express the power of a living faith, or is it merely an afterglow? A beam of light shining in the world after the initial spark has been snuffed out, but whose final extinction can even now be foreseen? I should think that the Star radiating this light will remain in the heavens as long as one single actor, one single spectator believes in the truth of the story presented here. We need not inquire here why so many hundred thousands throng to see the Play. It is undoubtedly a genuine pilgrimage, an opportunity to testify to their faith; others may come because they are interested in folk-lore and the history of the theatre; others from mere curiosity; others because they want their holiday to culminate in the participation in an event which is a world-wide sensation. Or because in a kind of "average innocence", they regard Oberammergau as a moral justification, as it were, for taking the long trip to Europe; or because the profound experience of a pious Play, which moves everbody, soothes the obscure twinges of an uneasy conscience that stir particularly in "good times", often from strange, unfathomed depths of the human soul.

Ludwig Steub, a great Bavarian writer, commented on the Oberammergau Play 120 years ago; a sentence he uses to describe the bustle of the crowd after the performance, and the confusion of departing carriages and horse-teams has acquired a fresh, deep meaning for us today:

"It is as if whole peoples were again, as in ancient times, on the move to find a new home..."

Everybody knows the story of Oberammergau, and of its Passion Play. The interest which the world has shown in Oberammergau, the problems facing the village today, are not concerned with its past but with its present, with the role it has assumed as "The village under the Cross", a role expressed by thousands of posters.

Tradition is no longer the decisive factor; tradition alone never was an adequate reason for the continuance of anything at all. Why should just the Oberammergau Play have persisted? Times of hardship, of war and its concomitants, prohibitions by state and church, the doubts of well-wishers and the attacks of critics, the multitudes of visitors for many decades, all manner of shortcomings connected with things material, human and artistic — nothing has been able to destroy this Play, the people of Oberammergau have never allowed anything to touch the tradition or the essential core of their Play. It is not that the village is more pious than others; its inhabitants are perhaps more talented for certain things, and more skilled, but certainly not better in character than other people; they, too, suffer from weaknesses, serious and trifling, are subject to the evil of our times, threatened by everything that threatens man: by envy and petty ambition, by selfishness and local squabbles, by everyday needs and all too worldly desires. And out of all this the flower of their Passion Play has always bloomed, and the Cross has remained the stigma of the village — the stigma, once a sign of shame, later a sign of a spiritual sharing in Christs's sufferings.

Those who can detect a deep purpose in life and history will here be able to recognize clearly evidence of a mission, a message of comfort, namely that "God writes on crooked lines", as the Portuguese proverb puts it. Of course there are reasons which may partly explain why precisely the Oberammergau Play has survived. There is, for instance, the loyalty to the vow (and yet no one can say with certainty whether such a vow is not binding merely on those who took it, valid merely for their lifetime; there are many such plays, originating from vows, which were nevertheless given up); there is the bent for artistic expression, always a characteristic of the Oberammergauers, which has been of such help in choosing actors, in adapting the text and style of the Play to suit changes in feeling, in preserving the standard of the ................. gift
.............................................. nd
.............................................. lly
.............................................. st
.............................................. t-

Dr. Alois Fink

ual and clerical background of the entire surroundings (the "Pfaffenwinkel"); there is the self-confidence inherited from the villagers' far-travelled forefathers and strengthened by contact with guests of high degree, and there is — perhaps paradoxically — the fact that these villagers are anything but "countrified" or "backward", for they have grown with the times and with progress in general, have kept step with the world into which they went out as merchants two hundred years ago and whose masses have poured into the village, so that they were never swept off their feet by any "enlightenment" or by any modern movement.

Goethe is sometimes quoted as having said that the Oberammergau Play could only have been produced by people of "average" innocence. I cannot imagine that he meant only a "direct" innocence; which is not only heroic, not only naïve, neither altogether the fruit of character nor altogether an unconscious gift, but simply "average", something both good and bad, but neither only one or the other, and neither of these opposites carried to extremes. We cannot do justice to Oberammergau unless we bear this in mind as the essential condition of the entire scene, and the performance of the Passion Play as a whole.

Whatever the phenomenon of Oberammergau has preserved for us, we and the world find in it a focal point, where physical background is commensurate with spiritual faith, where the "lay sermon", whose great tradition is now practically stifled, is delivered from one of its last pulpits, where nature and art coalesce in their original, homespun sense. If this Play were to be transferred elsewhere, its entire artistic basis would be destroyed; if this village ceased performing its Passion Play, its nature would be changed, and no one can say whether the very countryside would be the same for us.

The Oberammergau flower of the Passion, sprung from a dark soil and (if we look closer) from strange roots: war and the plague it brought. Oberammergau, in contrast to places in the neighbourhood, at first spared. Guards were posted, food and drink was brought out to wayfarers, since nobody was allowed to enter the village. Spared at first — by accident? Or as a result of precautions? Or as a reward for mercy, for help given in spite of the danger involved? But ultimately catastrophe did come, in the person of the man called Kaspar Schisler in the Chronicle.

He was a native of Oberammergau, but worked elsewhere. He came without any evil intentions, perhaps he did not know that death had already

DER PASSIONSCHOR

PROLOG Zwink Franz

CHRISTUS  Preisinger Anton

MARIA  Dengg Irmgard

EINZUG IN JERUSALEM

KAIPHAS  Stückl Benedikt jun.

DER HOHE RAT

ABSCHIED JESU

MARIA UND MAGDALENA   Dengg Irmgard und Mayr Anneliese

VATER GIB DEINEN SEGEN

ABENDMAHL: „HERR BIN ICH ES?"

JUDAS UND DIE HÄNDLER

JUDAS  Schwaighofer Hans

ÖLBERG

DER JUDASKUSS

ÖLBERG: „EIN EINZIGES WORT WIRFT SIE NIEDER!"

PETRUS UND JOHANNES  Meier Hans und Bierling Werner

CHRISTUS VOR SEINEN RICHTERN

CHRISTUS VOR ANNAS   Klucker Jakob

HERODES  Haser Arthur

CHRISTUS VOR HERODES

CHRISTUS VOR PILATUS

DIE ANKLAGE

ECCE HOMO

ANS KREUZ MIT IHM

PILATUS  Breitsamter Melchior

KREUZWEG

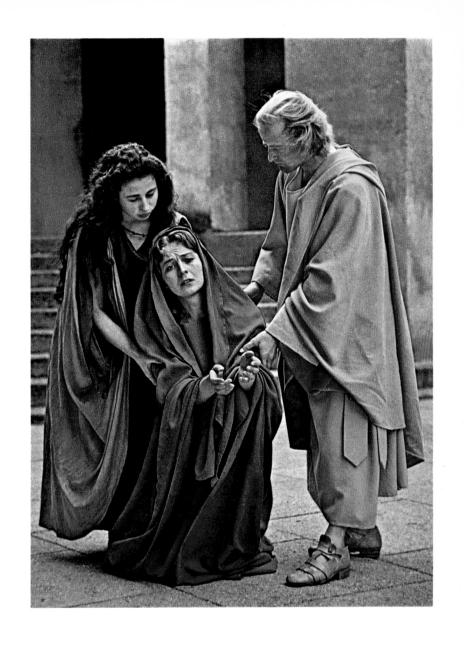

MARIA ERBLICKT JESUS AUF DEM KREUZWEG

CHRISTUS UND VERONIKA   Schilcher Antonie

AUFRICHTUNG DES KREUZES

BEWEINUNG JESU

CHRISTUS ERSCHEINT MAGDALENA